Éd. : 1994

LE NIL

Julia Waterlow - Denis-Paul Mawet

Éditions Gamma - Les Éditions École Active

Couverture
Felouques luxueuses sur le Nil à Assouan

L'édition originale de cet ouvrage
a paru sous le titre : *The Nile*

61 Western Road, Hove
East Sussex, BN3 1JD, Angleterre

Adaptation française de Denis-Paul Mawet

D/1994/0195/53
ISBN 2-7130-1610-X
(édition originale : ISBN 0-7502-0428-1)

Exclusivité au Canada :
Les Éditions École Active
2244, rue Rouen, Montréal H2K 1L5
Dépôts légaux, 1er trimestre 1994
Bibliothèque nationale du Québec
Bibliothèque nationale du Canada
ISBN 2-89069-472-0

Loi n° 49-756 du 16 juillet 1949
sur les publications destinées à la jeunesse

Imprimé en Italie par G. Canale C.S.p.A.

L'auteur, *Julia Waterlow*, est membre de la *Royal Geographical Society*. En outre, elle est écrivain et photographe et a rédigé de nombreux ouvrages de géographie pour les enfants. Elle est également l'auteur des ouvrages *L'Amazone* et *Le fleuve Jaune* dans cette même collection.

Le conseiller, *Dr Anthony Binns*, est professeur de géographie à l'université du Sussex et est actuellement vice-président adjoint de la *Geographical Association*.

Sommaire

1. Le fleuve de la vie

Si tu regardes une carte, tu comprendras pourquoi les anciens Égyptiens pensaient que le Nil était comme une fleur: sa longue tige ondule en direction du nord à travers le désert africain pour finalement fleurir en un éventail de cours d'eau lorsqu'il atteint la Méditerranée. Mais les Égyptiens n'ont jamais pu découvrir les «racines» du fleuve. Nous savons maintenant que le fleuve prend naissance bien au sud de l'équateur. C'est le plus long fleuve du monde: il parcourt 6 670 km, à peu près la distance entre Londres et New York.

De nos jours, comme par le passé, le Nil est indispensable aux habitants des régions bordant son cours inférieur. Il tombe tellement peu de pluie dans cette partie du nord de l'Afrique que sans le Nil, il n'y aurait pas d'eau et rien ne pousserait. Les deux rives du fleuve sont bordées d'un ruban vert de végétation, là où les cultivateurs irriguent leurs champs. Au-delà, c'est le désert.

Il y a plus de 5 000 ans que la civilisation existe le long du Nil. C'est l'un des endroits où l'on trouve les plus anciennes traces d'activité humaine. À travers l'histoire, les occupants de la vallée du Nil ont mesuré et répertorié les différents niveaux du fleuve. Aucun autre fleuve n'a été étudié aussi soigneusement et pendant aussi longtemps.

Cela fait tout aussi longtemps que l'homme essaie de contrôler le fleuve. La construction de canaux, quais, bassins et barrages a toujours fait partie de la vie le long du Nil. Au cours des cent dernières années, de nouvelles techniques ont amené l'invention de moyens de contrôle plus importants et plus efficaces. Des projets tels que le haut barrage d'Assouan (Sadd al-'Ali) ont changé le fleuve, sa vallée et la vie de ses habitants plus que tout ce qui a pu se passer durant les quelques milliers d'années précédentes. Les grands barrages et projets d'irrigation sont bénéfiques, mais engendrent également des problèmes.

La luxuriante vallée du Nil est cultivée depuis des siècles.

MER MÉDITERRANÉE
ISRAËL
IRAQ
Rosette
Alexandrie
Port-Saïd
JORDANIE
Delta du Nil
Gizeh
Le Caire
Suez
PYRAMIDES
Fayoum
LIBYE
Nil
ÉGYPTE
Désert de Libye
ARABIE SAOUDITE
N
Louqsor
Thèbes
Kharguèh
Assouan
MER ROUGE
Lac Nasser
Abou-Simbel
Ouadi-Halfa
Nil
Atbara
Atbara
YÉMEN
Khartoum
TCHAD
Plaine de Gezireh
YÉMEN DU SUD
SOUDAN
Kosti
LAC TANA
Chutes Tissiat
Nil Blanc
Nil Bleu
PLATEAU
Addis Abeba
ÉTHIOPIEN
Sobat
ÉTHIOPIE
SUDD
RÉPUBLIQUE CENTRAFRICAINE
Juba
SOMALIE
Chutes Kabalga
Lac Mobutu
Lac Kyoga
ZAÏRE
OUGANDA
KENYA
Monts Ruwenzori
Kampala
Lac Édouard
ÉQUATEUR
LAC VICTORIA
LÉGENDE
Anciens sites égyptiens
Barrages
RWANDA
Kagera
BURUNDI
OCÉAN INDIEN
TANZANIE
0
500
1 000 km
LAC TANGANYIKA

2. De la source à la mer

Le Nil supérieur

Bien au sud de l'équateur, au milieu de l'Afrique, des montagnes aux sommets enneigés s'élèvent dans les plaines. C'est le massif montagneux du Ruwenzori entre le Zaïre et l'Ouganda. Appelé monts de la Lune par les anciens Grecs, son plus haut sommet, le pic Marguerite, atteint 5 119 m. Des cours d'eau en descendent pour alimenter un immense lac, le lac Victoria. Chaque cours d'eau peut légitimement être la source du Nil, mais le véritable périple du grand fleuve commence là où il s'écoule au nord du lac Victoria, en Ouganda.

Il y a de nombreux lacs et chutes dans cette région. En quittant le lac Victoria, le Nil se met à descendre tumultueusement les chutes Ripon (aujourd'hui recouvertes par un réservoir derrière un barrage). Après avoir traversé la région marécageuse du lac Kyoga, le jeune Nil s'abaisse de façon spectaculaire aux chutes Kabalga (autrefois Murchison): il chute de 40 m. Même après le prochain grand lac, le lac Mobutu (autrefois le lac Albert), le Nil continue à éclabousser en franchissant une série de rapides en aval.

Située presque sur l'équateur, la région bordant le Nil supérieur est toujours

Le Nil s'écoule vers le nord sur plusieurs milliers de kilomètres à partir du lac Victoria, un lac énorme situé à la frontière de plusieurs pays traversés par l'équateur.

Les hippopotames adorent se baigner dans les eaux du Nil supérieur.

humide (il tombe en moyenne 1 250 mm de pluie par an) et, sauf en haute montagne, la région est très chaude.

La végétation est luxuriante et tropicale. La vie animale est également abondante. On peut voir éléphants, lions, rhinocéros, buffles et antilopes dans des réserves de chasse comme le parc national des chutes Kabalga. Les lacs et le fleuve grouillent de nombreuses espèces de poissons. Le Nil abrite également des hippopotames et des crocodiles.

Peu après être entré au Soudan, le Nil commence à ralentir et à se répandre sur les plaines. Le fleuve a atteint le Sudd. Ce mot arabe signifie «obstacle», et le Sudd en est bien un: c'est la plus grande région marécageuse du monde. Le Sudd s'étend

La source du Nil

Bien que le fleuve commence réellement à sa sortie du lac Victoria, la source du Nil se situe plus au sud. Parmi les nombreux cours d'eau qui se jettent dans le lac Victoria, le plus important – la branche mère – s'appelle la Kagera. Celle-ci prend naissance près du lac Tanganyika et on pense que c'est la véritable source du Nil.

L'ibis sacré et bien d'autres oiseaux vivent dans les vastes marécages du Sudd.

sur 700 km du nord au sud. Cette vaste région marécageuse est un labyrinthe de papyrus et d'herbes. Le Nil serpente à travers les marais par des canaux qui sont sans cesse modifiés par la croissance des plantes. D'impressionnantes îles d'herbes, presque assez fermes pour supporter le poids d'un éléphant, flottent sur l'eau. Il y fait chaud et très humide durant la saison des pluies. Il y a trop d'eau pour les grands animaux vivant d'ordinaire sur la terre ferme, mais c'est un paradis pour des oiseaux aquatiques, comme les hérons, cigognes et pélicans.

De grandes quantités d'eau pénètrent dans le Sudd, mais une grande partie est perdue par évaporation. Quand le Nil sort enfin des marais, son débit n'est que le septième de ce qu'il sera en entrant en Égypte. Le reste de l'eau lui est apportée par des ruisseaux qui se jettent dans le Nil au nord du Sudd. La plupart de ces affluents viennent des montagnes éthiopiennes situées à l'est.

Papyrus

Les anciens Égyptiens inventèrent l'écriture et une sorte de papier appelé papyrus. Celui-ci était fait à partir d'une plante appelée papyrus, un roseau qui poussait en abondance le long du Nil. La tige était découpée en fines tranches et les lanières ainsi obtenues étaient pressées l'une contre l'autre et battues. Elles séchaient ensuite entre deux pierres.

Notre mot papier vient du mot papyrus. Les anciens Égyptiens utilisaient une sorte d'écriture à base de dessins, appelés hiéroglyphes, pour consigner les événements sur leur papier de papyrus.

Un bac traverse le Nil Bleu.

Les affluents

Le fleuve qui s'écoule du lac Victoria s'appelle le Nil Blanc (Bahr el-Abiad). À mi-chemin vers la mer, il est rejoint par son affluent le plus important, le Nil Bleu (Bahr el-Azrak), qui est beaucoup plus court que le Nil Blanc mais est important car il charrie davantage d'eau. Les deux autres affluents importants du Nil, la Sobat et l'Atbara, apportent également une grande partie de l'eau qui alimente le Nil. Le Nil Bleu fournit en moyenne 59% de l'eau qui arrive en Égypte, contre 14% pour la Sobat, 13% pour l'Atbara et seulement 11% pour le Nil Blanc.

Tous ces cours d'eau ont des saisons haute et basse. À certaines époques de l'année, des pluies particulièrement importantes tombent dans les régions

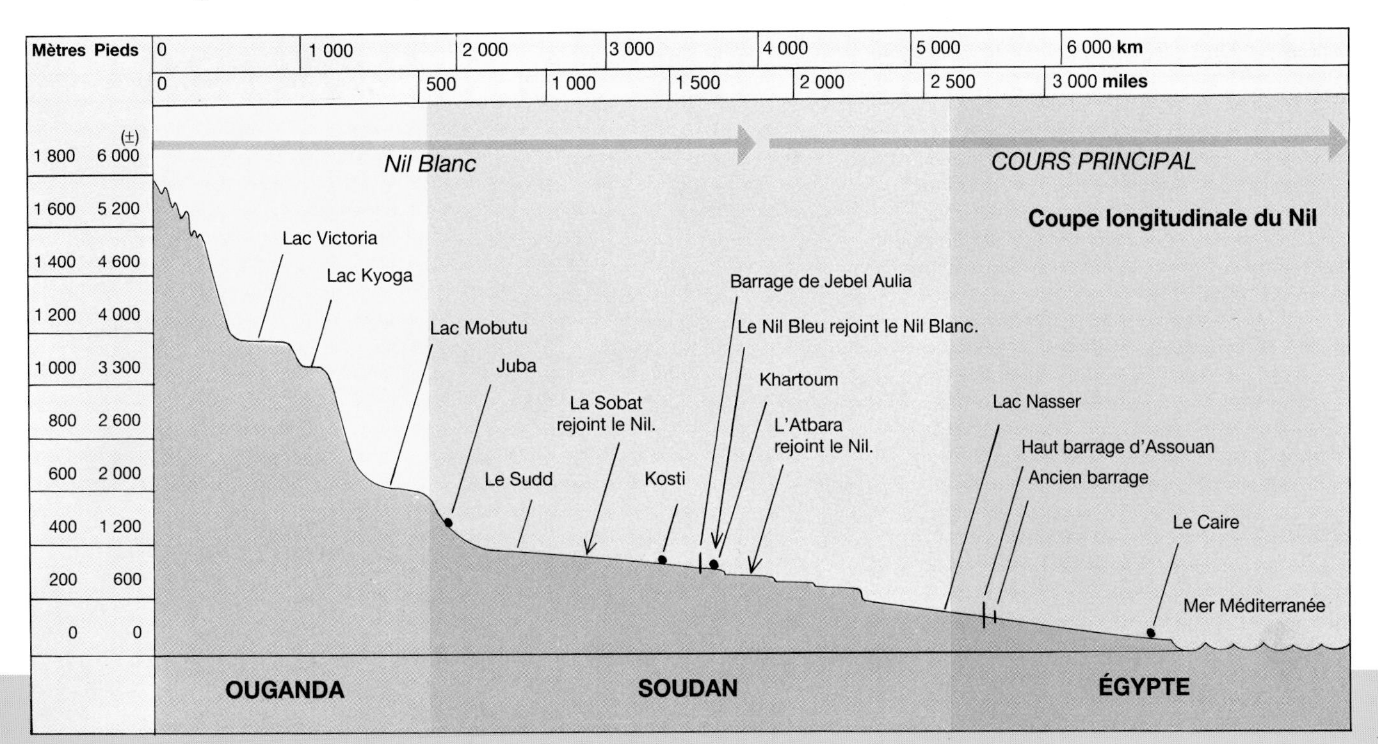

montagneuses qui alimentent les rivières et celles-ci grossissent fortement. En période de crue, en août et en septembre, le Nil Bleu fournit 95% des eaux du Nil. Ses crues sont comme des raz-de-marée.

Le Nil Bleu naît au lac Tana, en Éthiopie. Peu après avoir quitté le lac, il plonge par-dessus les chutes de Tissiat. Près de la moitié de son cours tumultueux s'écoule dans une gorge qui coupe profondément les montagnes et dont les parois atteignent 1 500 m de haut par endroit. Ce n'est qu'en atteignant les plaines du Soudan que le fleuve commence à ralentir.

Au nord du Sudd, au Soudan, la région autour du Nil devient plus sèche. La végétation se limite souvent à des buissons rabougris et de longues herbes. Il y a deux saisons: la sèche et l'humide. Quand la saison des pluies arrive, en été, la chaleur et la poussière cèdent la place à des pousses vertes.

Le Nil Bleu et le Nil Blanc s'écoulent côte à côte pendant des kilomètres sans se mélanger après s'être rencontrés à Khartoum. On peu clairement voir la différence de couleur. Le Nil Blanc est en fait gris-brun en raison du limon qu'il transporte, et le Nil Bleu est plus clair et bleu-vert. Mais quand le Nil Bleu est en pleine crue, il est également troublé par les milliers de tonnes de limon qu'il arrache aux montagnes éthiopiennes.

Sur les 3 000 km qui séparent Khartoum de la mer, seule l'Atbara se jette dans le Nil.

Vue aérienne du bassin du Nil et des affluents dans le sud du Soudan

Le lac Nasser est le plus grand lac d'origine humaine. Il a été formé par la construction du haut barrage d'Assouan.

Cela veut dire que, contrairement aux autres fleuves, le Nil ne s'élargit pas en approchant de la mer. Après Khartoum, le cours du fleuve est brisé par une série de rapides: les cataractes du Nil. L'eau s'écrase contre des rochers qui jaillissent du lit du fleuve et rendent la navigation difficile sur ce tronçon.

À la frontière entre le Soudan et l'Égypte, le Nil s'enfonce dans le plus grand lac artificiel du monde: le lac Nasser. Le lac fait plus de 5 000 km de long. Il s'est formé lorsque le cours du Nil a été bloqué par la construction du barrage d'Assouan en 1971. Le cours du fleuve au-delà du barrage est maintenant entièrement sous le contrôle de l'homme.

La vallée fertile

Au nord d'Assouan, le cours du Nil est plus lent. À l'ouest du fleuve se trouve le désert libyen (le Sahara), et à l'est le désert arabe. Il tombe si peu de pluie dans vallée du cours inférieur du Nil (moins de 10 mm par an) que les habitants peuvent bâtir leur maison en briques de boue car il y a peu de chances que les pluies ne les détruisent.

Bien que la vallée du Nil soit entourée de déserts, c'est là qu'elle est la plus fertile. Avant la construction du barrage d'Assouan, le Nil débordait chaque année et inondait la vallée. Quand les eaux se retiraient, elles laissaient derrière elles de riches sédiments.

Cela rendait la terre fertile et, avec l'eau abondante du Nil, les récoltes poussaient bien. De nos jours, on cultive toujours les rives du Nil sur une largeur qui va de quelques mètres à 50 km.

Cette partie de la vallée du Nil est si peuplée qu'une grande partie de la vie sauvage a disparu. Il y a des poissons dans le fleuve et des oiseaux autour, mais les animaux comme les hippopotames et les crocodiles ont été exterminés.

Le delta

À l'approche de la mer, le Nil atteint la dernière étape de sa vie. La pente du sol est tellement peu marquée que le fleuve s'écoule très lentement. Il ne peut plus emporter les sédiments qu'il contient encore et ceux-ci se déposent. Une partie est emportée par la mer, mais une autre reste sur place. Le fleuve cherche à se frayer un chemin à travers ce limon et y creuse divers canaux en étalant les sédiments en forme d'éventail. L'eau forme des marais, souvent enfermés dans des pointes de sable sculptées par la mer. C'est le delta. Durant des milliers d'années, le delta du Nil s'est formé de cette façon. Aujourd'hui, il compte deux branches principales qui pénètrent dans la mer, mais la plus grande partie de l'eau du delta est soigneusement contrôlée dans des canaux. Depuis la construction du barrage d'Assouan, le delta est peu à peu érodé par la mer.

L'embouchure du Nil près de Rosette. Juste au nord du Caire, le fleuve se scinde en plusieurs bras qui se séparent pour se jeter dans la mer en différents endroits.

3. Les pays et les peuples du Nil

Le Nil naît en Ouganda et traverse le Soudan où le Nil Bleu provenant d'Éthiopie le rejoint. Le fleuve finit son voyage en Égypte. De tous ces pays, c'est l'Égypte le plus moderne et le plus développé. Les autres ont souffert récemment des guerres civiles et des sécheresses qui les ont appauvris; ils se battent pour reconstruire leurs économies.

L'Égypte, le don du Nil

Vers la fin de la grande civilisation de l'Égypte ancienne (qui a duré de 3000 à 30 av. J.-C.), le pays fut envahi par divers agresseurs, parmi lesquels les Romains et les Grecs. Mais c'est l'invasion par les Arabes, en 640 de notre ère, qui a laissé les traces les plus durables.

Un fermier et sa famille dans la cour de leur maison de boue. Les familles égyptiennes sont souvent grandes, et la population s'accroît rapidement.

Un village en Égypte. Les gens font pousser les légumes près de leurs maisons.

Aujourd'hui, l'arabe est la langue et l'islam la religion officielles de l'Égypte et du Soudan. Les Égyptiens disent souvent que leur pays fait partie du Moyen-Orient et non de l'Afrique.

L'Égypte est presque entièrement dépendante des eaux du Nil. En fait, il n'y a probablement pas d'autre pays au monde qui ait tant besoin d'un fleuve pour survivre. Bien que l'Égypte soit un grand pays, près de deux fois la France, moins de 5 % de sa superficie est habitable, car elle est principalement constituée de déserts. À part quelques oasis, presque toutes les bonnes terres se trouvent le long du fleuve, et c'est là que la population vit.

Prière dans une mosquée au Caire. La plupart des Égyptiens et des Soudanais sont musulmans.

Dans le sud de l'Égypte et le nord du Soudan vit une race d'hommes différents : les Nubiens. De mémoire d'homme, les Nubiens ont toujours vécu le long de cette partie du Nil. Bien que d'origine africaine, ils se sont mélangés aux Arabes et ont adopté l'islam. La plus grande partie de l'ancien royaume de Nubie se trouve maintenant sous le lac Nasser, et beaucoup de Nubiens ont perdu leur logis quand le haut barrage d'Assouan a été construit.

Les peuples du Soudan

Le cours moyen du Nil traverse le Soudan, le plus grand pays d'Afrique, plus de deux fois la taille de l'Égypte. Pendant des siècles, les Égyptiens et les Arabes ont effectué des raids au Soudan pour y trouver des esclaves.

Un marché de chameaux, près d'Assouan où les chameaux sauvages sont capturés et amenés pour être vendus

Puis, les Arabes commencèrent à s'installer au Soudan, en particulier dans le nord et se marièrent avec les indigènes. À présent, les Arabes sont majoritaires au Soudan et contrôlent le gouvernement.

Loin du nord et de la capitale, Khartoum, le peuple soudanais est très différent. Les Soudanais sont presque tous africains et appartiennent à un groupe tribal. On compte des centaines de tribus. Les Dinkas, les Nuers et les Shilluk sont trois des tribus principales vivant près du Nil dans le sud du pays. Ces humains sont très grands et très minces; ils vivent de leurs troupeaux. Ils portent sur le visage des cicatrices marquant leur appartenance tribale. Comme la plupart des tribus du sud, ils croient aux esprits. C'est une des causes de la guerre civile entre les habitants du sud et du nord du Soudan.

Loin des vertes vallées arrosées par le Nil, c'est le désert nu.

Sahad, un potier

«Je fabrique ces pots avec de l'argile que je prends près du fleuve. Quand j'en ai réalisé un nombre suffisant, je les entasse sur une charrette que mon âne tire vers la ville la plus proche.
Les grands pots sont les jarres à eau traditionnelles. À la campagne, peu de gens ont des robinets. Les femmes utilisent un type différent de pot d'argile pour puiser l'eau aux puits. Elles portent les pots en équilibre sur la tête.»

L'Ouganda

Au sud du Soudan, en Ouganda, vivent les Bantous. L'Ouganda a été colonisé par les Britanniques et a obtenu l'indépendance en 1962. Les problèmes ont commencé en 1971 quand un homme du nom de Idi Amin prit le pouvoir et fit tuer de nombreux opposants. Maintenant la vie est revenue à la normale. Les fermiers en Ouganda ne dépendent pas du Nil car il pleut beaucoup chez eux. Toutefois, près du lac Victoria, le Nil est utilisé pour produire de l'électricité au barrage des chutes Owen.

L'Éthiopie

La source du Nil Bleu se situe dans un très ancien royaume africain: l'Éthiopie. La plus grande partie du pays se situe en haute montagne et le Nil y presque impossible à atteindre car il coule dans une gorge profonde. L'Éthiopie est l'un des rares pays africains à ne pas avoir été conquis par des gens de l'extérieur ou colonisés par des Européens. Ce fut également l'un des premiers pays du monde à devenir chrétien. Pour l'instant, il essaie de se relever après des années de guerre civile et de famine.

Cette femme appartient à la tribu Dinka. Son visage porte les marques tribales typiques de son peuple.

4. Les anciennes civilisations du Nil

Durant des milliers d'années, le Nil a apporté de vastes quantités de terre fertile et de limon au pays que nous appelons maintenant l'Égypte. Avec son climat chaud et sa vallée bien irriguée, il était facile d'y cultiver. L'une des plus brillantes civilisations du monde s'est d'ailleurs épanouie dans cette région.

Avant 3 000 av. J.-C., il y avait deux royaumes le long du cours inférieur du Nil. Un roi appelé Ménès les unifia en un grand royaume : l'Égypte. Durant les 3 000 ans qui suivirent, les pharaons régnèrent sur les terres le long du Nil.

Une ancienne représentation du delta du Nil décrivant des scènes de chasse et de pêche dans les marais.

Au-dessus *Le sphinx et la pyramide de Chéops. Le sphinx a été baptisé ainsi d'après le monstre de la mythologie grecque possédant une tête de femme et un corps de lion.*

Ci-contre *Ce temple, à Dandara, est dédié à Hathor, la déesse égyptienne du plaisir. Chaque colonne est surmontée de la tête sculptée de Hathor.*

L'une des tâches les plus importantes du pharaon était l'entretien du fleuve.

À la fin de l'été, le Nil débordait. Si l'eau ne montait pas assez, les terres n'étaient pas arrosées, les récoltes ne poussaient pas et les gens mouraient de faim. Si l'eau montait trop, les villages et les champs pouvaient être détruits par l'inondation. À cause de cette dépendance à l'égard du fleuve, les Égyptiens apprirent à contrôler l'eau qui s'écoulait à travers leur pays. Ils creusèrent des canaux, bâtirent de petits barrages et commencèrent à mesurer les élévations et les diminutions du niveau du Nil. Ils inventèrent un calendrier de 365 jours basé sur les changements du Nil au cours de l'année. Pour calculer la taille des champs, ils mirent sur pied un système de mesure appelé géométrie.

Les notions de mathématique de génie obtenue en observant le Nil aidèrent les Égyptiens à devenir des architectes parmi les plus grands de leur époque.
Les monuments les plus célèbres qu'ils aient laissé sont les pyramides. Celles-ci ont été bâties pour devenir les tombes des pharaons. À l'intérieur, la chambre funéraire était remplie de bijoux, nourriture et meubles car les anciens Égyptiens croyaient en la vie après la mort. Ils voulaient que le roi mort bénéficie d'autant de confort et de luxe que de son vivant.

Ramsès II, le pharaon guerrier, aimait bâtir des temples imposants pour impressionner son peuple.

Les pyramides furent construites durant l'Ancien Empire qui dura jusqu'à environ 2 200 av. J.-C. Au cours de la deuxième grande période de l'histoire égyptienne, le Moyen Empire, la capitale fut déplacée de Memphis vers l'amont, à Thèbes, appelée maintenant Louqsor.

Les anciens Égyptiens vénéraient des centaines de divinités, deux des plus importantes étant le Soleil et le Nil. Des temples furent construits tout le long du Nil et dans le delta, et des tombes furent érigées sur les flancs des collines, au-dessus des plaines inondables. Des sacrifices étaient offerts au Nil dans l'espoir de plaire au dieu du fleuve et que l'inondation annuelle apporterait une bonne récolte.

La période la plus remarquable de l'histoire de l'Égypte ancienne a été celle du nouvel empire qui a commencé vers 1 600 av. J.-C. L'empire égyptien s'est étendu à toute la vallée du Nil et même au-delà.

La pyramide de Chéops

La pyramide de Chéops est la plus septentrionale et la plus ancienne des pyramides de Gizeh, près du Caire. Elle fut construite avec des blocs de 2,5 t. En 2 600 av. J.-C., les Égyptiens ne disposaient pas de machines pour les aider et chaque bloc devait être traîné jusque là. C'est un chef-d'œuvre de génie civil. Il a fallu 100 000 hommes et 20 ans pour la construire. L'empereur Napoléon, qui envahit l'Égypte en 1798, a calculé qu'avec les pierres des trois pyramides de Gizeh, on pourrait bâtir un mur de 3 m de haut tout autour de la France.

Principales dates de l'histoire du Nil
3 100 av. J.-C. - Les royaumes bordant le Nil sont unifiés par le roi Ménès.
2 686-2 181 av. J.-C. - Ancien empire. On commence à étudier et à mesurer le Nil. Les pyramides sont construites.
2 050-1 786 av. J.-C. - Moyen empire
1 576-1 085 av. J.-C. - Nouvel empire. De grandes tombes sont construites le long du Nil en face de Thèbes, la capitale.
1 085-333 av. J.-C.- Basse époque. L'Égypte a de nombreux dirigeants. Les Perses et d'autres envahissent le pays.
332-30 av. J.-C. - Période hellénistique. Alexandre le Grand envahit l'Égypte. Le général grec Ptolémée devient pharaon (Ptolémée Ier), adopte les dieux égyptiens et fait construire de nombreux temples.
30 av. J.-C. - Invasion romaine

La population de Thèbes grandit jusqu'à dépasser les deux millions. D'énormes statues et monuments furent construits pour les pharaons et leurs nobles.
Sur la rive est du Nil se trouvait la ville et sur la rive ouest, les tombes pour les morts. Le Nil était l'autoroute de l'Égypte. Il n'y avait pas besoin de véhicules à roues, car il y avait le fleuve et les bateaux.

En 1344 av. J.-C. mourut un jeune pharaon appelé Toutankhamon. Comme tous les autres pharaons décédés, il fut embaumé et placé dans un magnifique tombeau peint, dans une vallée déserte sur la rive du Nil opposée à Thèbes. Sa momie est restée dans son sarcophage jusqu'en 1922 ap. J.-C. lorsqu'un archéologue découvrit l'entrée de son tombeau. La plupart des autres tombeaux de la vallée avaient été pillés, mais celui-ci était pratiquement intacte. Bien que Toutankhamon n'ait pas été un pharaon important, de superbes trésors furent découverts dans son tombeau. Parmi ceux-ci, un magnifique masque d'or (**ci-dessus**), un cercueil en or contenant son sarcophage, des chaises et des lits plaqués d'or, de superbes joyaux et, comme il était encore enfant à sa mort, sa catapulte favorite. Tous ces objets étaient restés dans le même état que lorsqu'ils y furent déposés plus de 3 000 ans auparavant.

Nilomètre
Des nilomètres furent construits à différents endroits le long du Nil pour mesurer ses crues et décrues. Les premiers étaient constitués par de simples marques sur les falaises ou les bâtiments. Celui-ci, situé au Caire, fut construit au 9e siècle ap. J.-C. Il est beaucoup plus précis que les plus anciens. L'eau du Nil parvient à un puits par des tunnels et le niveau est mesuré sur la colonne centrale. En se référant à leurs archives, les Égyptiens pouvaient savoir à l'avance si l'inondation annuelle serait bénéfique ou non.

5. Les explorateurs du Nil

Jusqu'au siècle dernier, personne ne savait exactement où se trouvait la source du Nil. Ni les anciens Égyptiens ni les Grecs, et les Romains qui les suivirent, ne la découvrirent. L'exploration était difficile: le fleuve était long et les marais du Sudd constituaient un obstacle très difficile à franchir.

Dès la fin des années 1600, des prêtres jésuites avaient trouvé la source du Nil Bleu. Mais personne n'avait exploré vraiment cette région. En 1768, James Bruce, un riche Écossais, se lança dans des aventures effrayantes pour essayer de suivre le Nil Bleu là où il traverse des gorges profondes en Éthiopie. Bien qu'il put atteindre la source du Nil Bleu, il ne parvint pas à explorer le fleuve tout le long. Jusqu'à ce jour, personne n'a pu voyager sur toute la longueur de cet affluent sauvage du Nil.

Il fallut encore attendre près d'une centaine d'années pour que l'on essaie sérieusement de découvrir où le Nil Blanc prend sa source. Au 19e siècle, les explorations et les découvertes européennes en Afrique furent nombreuses, et bien des explorateurs cherchèrent désespérément à être les premiers à découvrir la source du Nil.

Le premier explorateur de renom fut un Anglais, Richard Burton. Il connaissait bien l'Afrique et parlait plusieurs langues. Un autre Anglais l'accompagnait: John Hannington Speke. En 1857, ils quittèrent la côte est de l'Afrique dans l'espoir d'atteindre le Nil au sud du Sudd jusqu'alors jamais franchi. Les choses tournèrent mal presque tout de suite: crises de malaria, mort des animaux de bât, désertion des porteurs. Après sept terribles mois durant lesquels ils souffrirent de la maladie et des fièvres, les explorateurs atteignirent les rives du lac Tanganyika (à la frontière du Zaïre et de la Tanzanie actuels), qui n'avaient jamais été contemplées par des Européens auparavant.

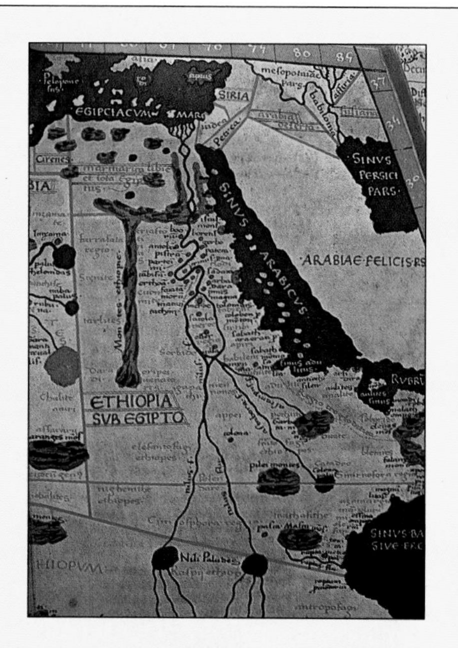

La carte de Ptolémée
En 150 ap. J.-C., Claudius Ptolémée, un géographe grec célèbre, dessina une carte sur laquelle la source du Nil se situe dans les monts de la Lune. Cela n'était qu'une supposition car personne n'avait exploré ces régions. Il dessina sa carte d'après les histoires des marchands qui avaient remonté le Nil. Cette copie de sa carte montre qu'il n'était pas très loin de la vérité.

*Claudius Ptolémée vivait à Alexandrie au 2e siècle ap. J.-C. Son livre, le **Guide géographique** contenant des cartes, fut utilisé par les explorateurs durant des siècles.*

L'explorateur américain Henry Stanley rencontre enfin David Livingstone à Ujiji, près du lac Tanganyika. Livingstone était porté disparu depuis plusieurs années.

Burton tomba malade et tandis qu'il se reposait, Speke poussa l'exploration vers le nord. Il découvrit un lac énorme qu'il baptisa lac Victoria. Speke devina que c'était la source du Nil. Burton refusa de le croire et prétendit que le lac Tanganyika en était la source.

À son retour en Angleterre, Speke devint célèbre. Il voulait prouver qu'il avait trouvé la véritable source du Nil et monta une autre expédition deux ans plus tard. Comme précédemment, le voyage fut difficile, les animaux de bât mourant et la nourriture venant à manquer. Mais Speke parvint à atteindre le lac Victoria et découvrit un important cours d'eau prenant sa source au nord de celui-ci. Speke était sûr qu'il s'agissait du Nil. Il fut accueilli en

Speke et Burton sont reçus à la cour d'un roi en Afrique centrale.

héros à son retour à Londres. Mais Burton était déterminé à prouver que le cours d'eau trouvé par Speke n'était pas le Nil. Il fut décidé qu'un débat public aurait lieu entre les deux hommes. Malheureusement, Speke mourut au cours d'un incident de chasse le jour précédant le débat. Il disparut sans savoir qu'en fait, il avait raison.

Cependant le Nil n'avait pas encore été exploré complètement. D'autres suivirent Burton et Speke. En 1861, un autre Anglais, Samuel Baker, et sa femme Florence se rendirent aux sources du Nil par le chemin le plus difficile: en remontant le fleuve. Deux ans plus tard, ils parvinrent enfin à l'autre bout du Sudd pour y être attaqués par les indigènes et la maladie. Ils atteignirent finalement le lac Mobutu et le cours d'eau qui s'y jetait. Les Baker avaient cartographié un autre morceau du Nil.

Le célèbre docteur David Livingstone joua également un rôle dans la résolution de l'énigme du Nil. En 1865, le fameux explorateur écossais partit à la recherche de la source. Il eut tellement de problèmes qu'il perdit le contact avec le monde extérieur durant quatre ans et fut présumé mort. Un journaliste américain, Henry Stanley, partit à la recherche de Livingstone. Après presque un an, il atteignit le lac Tanganyika où il trouva le docteur vivant. Les deux hommes établirent une carte du lac Tanganyika et conclurent qu'il ne pouvait pas être la source du Nil. Au cours d'une expédition ultérieure, en 1875, Stanley put prouver, en naviguant tout autour du lac Victoria, que le Nil commençait réellement là et pas dans un autre lac. La découverte de John Speke était finalement confirmée.

Le commerce des esclaves

Il y a 4 000 ans, des esclaves provenant du Nil supérieur furent utilisés par les anciens Égyptiens. Des sculptures sur les temples montrent des esclaves nubiens attachés les uns aux autres et transportés vers l'aval du fleuve. Plus tard, les Arabes reprirent cette pratique. Les Britanniques et d'autres Européens reprirent l'esclavage africain à leur compte pour obtenir de la main-d'œuvre à bon marché pour leurs nouvelles colonies. Des millions d'Africains furent capturés et expédiés à l'étranger. Bien que l'esclavage ait été aboli vers le milieu du 19e siècle dans l'empire britannique, 50 000 esclaves au moins étaient emmenés du Nil supérieur chaque année.

6. Agriculture et irrigation

L'agriculture en Égypte

La culture n'est possible en Égypte qu'en utilisant l'eau du Nil, car il n'y tombe presque pas de pluie. Grâce au temps ensoleillé et chaud et à la régularisation du débit du Nil par le haut barrage d'Assouan, de nombreuses plantes peuvent être cultivées toute l'année.

En plus des aliments de base comme le blé, le maïs, les légumes et le riz, des plantes comme la canne à sucre et des fruits sont cultivés pour l'exportation. La culture de la canne à sucre prend de plus en plus d'importance en Égypte, et plusieurs raffineries ont été construites le long du Nil. Le coton pousse bien en Égypte et une grande partie des récoltes est exportée. On trouve dans toute l'Égypte des champs de *berseem*, une espèce de trèfle qui sert de fourrage. Dans le Nil, on pêche des poissons tels que la perche du Nil.

Les tracteurs comme celui que l'on voit ici le long du Nil sont trop coûteux pour la plupart des fermiers égyptiens. Beaucoup d'entre eux utilisent encore des ânes, des mules ou des buffles d'eau pour effectuer les travaux lourds.

Les fermiers égyptiens sont appelés *fellahin*. La majorité sont propriétaires de leur terre et la cultivent eux-mêmes. Ils cultivent ce dont ils ont besoin plus un autre produit qu'ils vendent. La plupart utilisent un âne ou un buffle d'eau pour le labourage ou le transport de lourdes charges, et ont parfois des poules et élèvent souvent des pigeons pour leur chair.

Le delta du Nil est la région la plus cultivée, chaque centimètre carré de terre étant utilisé. Cependant, les terres arables disparaissent autour de certaines grandes villes car l'utilisation de la terre pour la construction est plus rentable.

L'irrigation

Même s'il y a de l'eau dans le fleuve, elle est inutile si elle n'est pas contrôlée et amenée aux champs. Au cours des millénaires, les riverains du Nil ont développé les moyens pour irriguer leurs terres. L'inondation annuelle par le Nil qui avait lieu avant la construction du barrage d'Assouan, était vitale pour l'irrigation. Les eaux de l'inondation étaient canalisées par des barrages vers des bassins où elle infiltrait le sol qui, enrichi et humidifié, pouvait ensuite être planté.

Le haut barrage d'Assouan contrôle le cours du Nil qui s'écoule de manière égale

Ci-contre *La récolte des dattes dans le delta du Nil. L'homme a escaladé l'arbre pour couper les dattes qui sont amenées au sol dans un panier.*

En dessous *La culture de la canne à sucre est importante en Égypte. Ici, la récolte est amenée à dos d'âne jusqu'à un endroit de rencontre. Les ânes sont souvent utilisés pour amener les récoltes depuis les champs.*

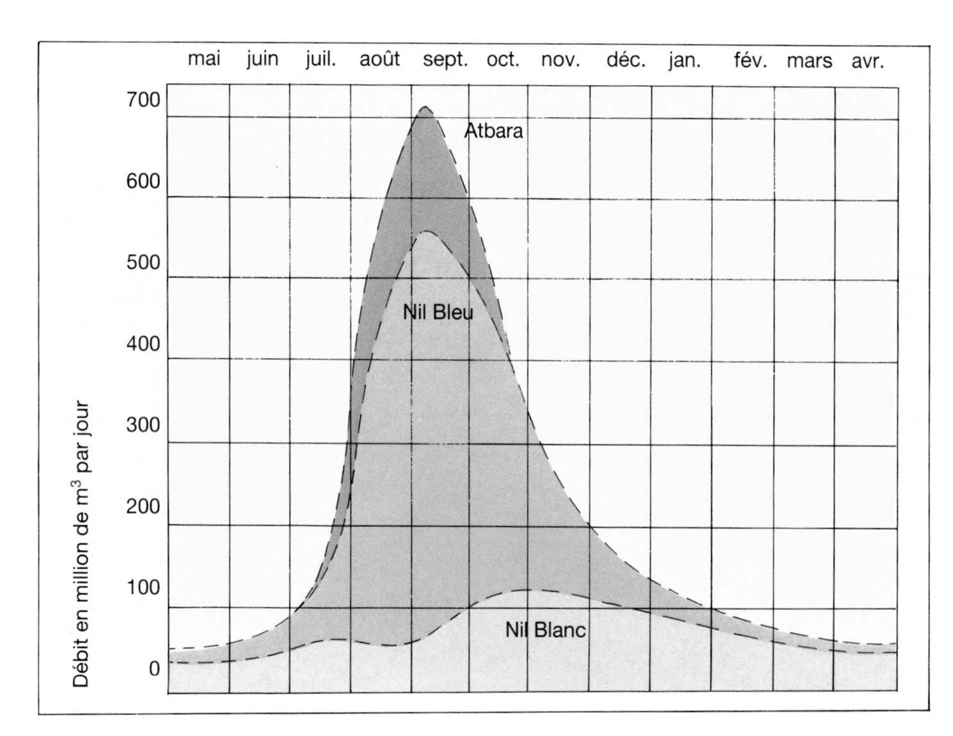

Le Nil est alimenté par trois affluents principaux : le Nil Bleu, le Nil Blanc et l'Atbara. Les barrages permettent de stocker de l'eau et de la libérer quand le débit est faible. Ce graphique donne les débits du Nil et de ses principaux affluents à différentes époques de l'année.

Toujours d'actualité, l'utilisation du ***chadouf*** *est une technique d'irrigation ancienne.*

toute l'année, sans inondations.
Pour amener l'eau du Nil aux champs, de longs canaux ont été construits. L'écoulement des eaux dans ces canaux est réglé par de nombreux barrages qui ont été construits en travers du Nil à de nombreux endroits. Ceux-ci sont équipés de portes qui permettent de contrôler la destination de l'eau.

Les techniques utilisées par les fermiers pour amener l'eau des canaux à leurs champs sont vieilles de plusieurs siècles. Le contrepoids du *chadouf* permet d'élever facilement un seau d'eau vers le champ. Les animaux font tourner une roue appelée *sakieh* qui remonte des récipients remplis d'eau jusqu'aux champs. Une vis d'Archimède fait remonter l'eau quand ont fait tourner une manivelle. Bien que beaucoup de fermiers utilisent de nos jours des pompes diesel bien plus rapides, ces vieilles méthodes sont toujours utilisées en Égypte le long du Nil.

Ces dernières années, l'Égypte a fortement augmenté sa production agricole. Mais ce n'est pas suffisant pour nourrir sa population dont l'accroissement est constant. Il faut importer du blé chaque année.

Le gouvernement voudrait augmenter l'étendue des surfaces cultivées. Il existe plusieurs projets visant à amener l'eau du Nil vers des régions qui ne sont pour le moment que des déserts inutiles. De tels projets ont déjà démarré à l'oasis de Kharga et dans les zones désertiques bordant le delta du Nil. Un grand projet vise également à développer 250 000 hectares de part et d'autre du canal de Suez en utilisant l'eau du Nil.

Tous ces projets dépendent de la quantité d'eau disponible dans le Nil. Actuellement, l'Égypte utilise toute l'eau à laquelle elle a droit selon un accord passé avec le Soudan. Certains des grands projets d'irrigation ont été abandonnés par manque d'eau. Des conflits concernant les droits d'utilisation de l'eau du fleuve pourraient apparaître à l'avenir entre les pays riverains.

Plus haut sur le fleuve, le Soudan a ses propres projets d'irrigation, comme celui de Gezireh, au sud de Karthoum, entre le Nil Bleu et le Nil Blanc. Plus au sud, un grand canal est construit à travers le Sudd. Le canal Jongleï drainera une partie du Sudd pour éviter que trop d'eau ne se perde par évaporation et afin que plus d'eau soit disponible pour l'irrigation en aval. La guerre civile au Soudan a provoqué l'arrêt du travail sur ce projet.

L'irrigation par bassin

Avant la construction du barrage d'Assouan, le calendrier agricole dépendait du Nil. Vers septembre, les terres étaient inondées. L'eau était dirigée aussi loin que possible vers des bassins séparés par des levées où on la stockait. Les fermiers n'avaient pas grand-chose à faire jusqu'en novembre quand l'eau de l'inondation s'était retirée. Alors commençait la saison des semis, puis celle des récoltes, vers mai. La terre se reposait et était rafraîchie par l'inondation.

Le projet de Gezireh

Gezireh est une vaste région irriguée entre le Nil Bleu et le Nil Blanc, au Soudan. Il pleut peu dans la région, mais en construisant un barrage à Sennar, et puis à Roseires, l'eau accumulée a pu être acheminée par un réseau de canaux pour irriguer les terres. D'environ 120 000 hectares, la superficie du projet originel a été étendue à 900 000. L'eau et les sédiments ont permis d'obtenir de bonnes récoltes. La culture la plus importante est le coton qui est le principal produit d'exportation du Soudan. À Kenana, la partie sud de la région de Gezireh, il y a une grande plantation de canne à sucre et on y élève des bœufs. C'est à Gezireh qu'est produite la plus grande partie des vivres du pays, bien qu'on pourrait en produire plus au lieu de cultiver du coton pour l'exportation.

Un pêcheur dans le delta. Il y a moins de poissons qu'auparavant.

Au Soudan, beaucoup d'habitants sont nomades et se déplacent avec leur bétail pour trouver de l'eau et des pâturages.

L'agriculture autour du Nil supérieur

Les méthodes de cultures sont très différentes le long du cours supérieur du Nil. De nombreuses tribus du sud du Soudan vivent de l'élevage et de la pêche et mènent une vie nomade rythmée par les saisons. À la saison des pluies, on trouve de bons pâturages pour le bétail dans les plaines, tandis que la saison sèche les oblige souvent à migrer vers le Sudd, où les marais s'assèchent quelque peu et où le bétail peut paître. On y cultive traditionnellement peu, bien que les choses soient en train de changer et que le gouvernement essaie de sédentariser les habitants.

Dans la région située à l'extrême sud du Nil, en Ouganda, il pleut assez régulièrement pour pouvoir cultiver n'importe où. En plus de nombreux légumes et fruits, on produit du café, du coton, et du thé en Ouganda. Les grands lacs comme le lac Victoria et le lac Mobutu sont remplis de poissons et la plupart des riverains sont des pêcheurs.

7. Les villes, l'industrie et les transports

Le Caire

Le Caire n'est pas seulement la plus grande ville des bords du Nil, mais c'est la ville la plus importante d'Afrique. Elle compte environ 15 millions d'habitants, faubourgs compris. La ville est polluée et chaotique, pleine de bruit et de trafic. L'ancien et le moderne, l'orient et l'occident s'y rencontrent, les tours de bureau dominant les charrettes tirées par des ânes qui trottinent, en bas, dans les rues.

La partie moderne du Caire est le cœur du gouvernement, de l'industrie et de l'éducation en Égypte et héberge un quart de la population égyptienne. La partie ancienne de la ville est un labyrinthe de rues étroites et de marchés animés. Les bars bordent les allées et les hommes sont assis et fument le narguilé.

Quatre villes ont été bâties à cet endroit au cours des siècles, mais aucune n'est aussi importante que la ville du Caire qui s'étend au-delà de la verte vallée du Nil.

Le Caire, la plus grande ville d'Afrique, est bruyante et active, polluée à la fois par le trafic, le sable et la poussière que le vent apporte du désert environnant.

Le marché de Khan el Khalili au Caire est très grand et comprend de nombreux étals, des échoppes et des allées étroites.

En plus des blocs d'appartements modernes, d'importants faubourgs industriels s'étendent dans toutes les directions. Il y a des aciéries, des cimenteries et des usines de traitement de produits chimiques, des produits alimentaires et du coton. Le coton cultivé en Égypte le long des rives du Nil est connu dans le monde entier.

La ville du Caire est réputée pour son industrie cinématographique qui produit des films pour d'autres pays arabophones. Elle est aussi la plus ancienne ville touristique du monde. En 450 av. J.-C. déjà, des voyageurs grecs venaient visiter les pyramides qui se trouvent dans le désert à la limite du Caire. De nos jours, grâce à l'excellent état de conservation des anciens temples et tombeaux égyptiens, des millions de touristes visitent l'Égypte chaque année. Le tourisme est, après le pétrole, la plus importante source de devises étrangères.

Les villes du delta

Alexandrie se trouve sur la côte méditerranéenne et a été baptisée d'après Alexandre le Grand, qui conquit l'Égypte en 332 av. J.-C. Alexandrie a été le cœur du monde occidental durant des siècles. Il n'existait nulle part l'équivalent de son énorme bibliothèque contenant plus de 500 000 ouvrages. Son phare massif de plus de 130 m de haut était considéré comme une des sept merveilles du monde (il fut détruit par un tremblement de terre). Cléopâtre, dernière reine d'Égypte et souveraine d'Alexandrie, se suicida pour ne pas être capturée par l'envahisseur romain.

Mohamed, un conducteur de calèche

«Je conduis une calèche à Louqsor. Mes passagers sont assis derrière moi, une capote au-dessus de leur tête. En début de matinée, je conduis les enfants à l'école et plus tard j'emmène les touristes sur les différents sites. Louqsor est remplie de vieux temples et tombeaux et presque tous les habitants exercent une occupation liée au tourisme.»

Aujourd'hui, Alexandrie est un centre industriel d'environ 4 millions d'habitants, ainsi qu'une station balnéaire à la mode. C'est la ville la plus importante du delta et le premier port égyptien, par lequel transitent plus de 80% des importations et des exportations égyptiennes. Les marais du delta sont drainés pour fournir des terrains à bâtir et les industries s'étendent vers l'ouest, dans le désert.

Port-Saïd, une ville beaucoup plus jeune, fut construite en 1859, à l'extrémité sud du canal de Suez. À l'époque où celui-ci était la principale voie de communication entre l'Europe et l'Asie, Port-Saïd était un centre commercial animé. À l'heure actuelle, le gouvernement égyptien y encourage le développement de nouvelles industries. Suez, sur la mer Rouge, est une ville qui se développe beaucoup, grâce aux raffineries qui traitent le pétrole en provenance de la mer Rouge.

Le canal de Suez à Port-Saïd. Il réduit la distance pour les bateaux se rendant en Extrême-Orient.

Abu, un batelier nubien

«Je suis Nubien et je pilote une felouque. Cela fait 25 ans que je transporte des touristes partout sur le Nil. Je leur montre les villages nubiens sur les rives du Nil. Ici, nos villages n'ont guère changé, mais de nombreux Nubiens vivent dans de nouvelles villes. Ils ont été chassés des rives du Nil quand le haut barrage d'Assouan a été construit. Les Nubiens vivaient dans les régions inondées par le lac Nasser.»

Khartoum

Située au confluent du Nil Bleu et du Nil Blanc, Khartoum est la capitale du Soudan. Son nom veut dire trompe d'éléphant, c'est la forme de la bande de terre qui sépare les deux Nil avant qu'ils ne se rejoignent. Les Britanniques bâtirent la partie moderne de Khartoum sur le modèle de l'Union Jack. Ils prirent le contrôle de Khartoum en 1898 après la défaite du Mahdî, un leader religieux soudanais fanatique. Après avoir assiégé Khartoum, les guerriers du Mahdî taillèrent en pièces le général Gordon.

L'agriculture est le principal moyen de subsistance des Soudanais; c'est pourquoi, la plupart des industries sont basées sur l'agriculture. Les usines de Khartoum traitent les aliments et produisent textile, cuir, et coton. Le Soudan exporte des arachides, du sucre et du coton. La construction d'une grande raffinerie de sucre à Kosti constituait l'un des grands projets du Soudan.

Ci-contre *Pendant des siècles, les chameaux ont servi de moyen de transport dans la vallée du Nil et dans le désert.*

Ci-dessous *Vue des toits de Khartoum*

Les felouques, les bateaux traditionnels du Nil, sont maintenant principalement utilisées par les touristes.

Le transport sur le Nil

Depuis les temps anciens, le Nil n'est pas seulement utilisé pour irriguer les cultures, mais également pour transporter les personnes et les biens. Les bateaux étaient construits à partir de bois ou de tiges de papyrus, et propulsés à la voile ou à la rame. Le vent aidait les bateaux à remonter le courant et ce dernier faisait tout le travail dans le sens contraire.

Il n'a jamais été facile de suivre le cours du Nil car les nombreuses cataractes empêchaient les bateaux de le remonter complètement. Le Sudd était également une barrière infranchissable pour de nombreux bateaux. Même lorsque l'on dégageait un chenal, la végétation repoussait généralement très vite. Mis à part les grands lacs, la majeure partie du cours supérieur du Nil n'était pas navigable à cause des rapides.

Au 19e siècle, à l'époque coloniale, les Britanniques ont introduit des bateaux à vapeur pour accélérer le transport. À l'heure actuelle, les transports routier, ferroviaire et aérien ont remplacé les bateaux car ils sont plus rapides. Les systèmes routier et ferroviaire égyptiens sont relativement bons, mais le Soudan n'a pas pu se permettre d'entretenir son système de transport.

Les bateaux en bois traditionnels existent toujours sur le Nil, mais ils sont utilisés surtout par les touristes. Des paquebots de luxe sillonnent le Nil pour emmener les visiteurs vers les temples. À part les pêcheurs, seuls les habitants de la région utilisent des bateaux dans le Sudd et sur les lacs. Hormis le bateau, les moyens traditionnels de transport, toujours utilisés de nos jours par de nombreux fermiers, sont l'âne et le chameau.

8. La famine et les réfugiés

Tant qu'il y a de l'eau dans le Nil, les riverains peuvent cultiver des aliments. Mais en Éthiopie et dans le sud du Soudan, les pluies sont saisonnières. Si les pluies ne viennent pas, cela peut signifier la sécheresse et la famine.

Au début des années 80, la sécheresse a touché une grande partie de l'Afrique centrale et de l'Afrique du Nord. Des milliers de personnes sont mortes de faim. En Éthiopie, les fermiers ne pouvaient plus cultiver ou élever du bétail. Ils vendirent tout ce qu'ils avaient pour acheter de la nourriture qui s'épuisa rapidement, les obligeant à abandonner leur ferme pour partir à la recherche d'eau et de nourriture. Plus d'un million de personnes quittèrent l'Éthiopie, dont beaucoup pour le Soudan. Mais le Soudan était également touché par la sécheresse.

Ces tiges desséchées sont tout ce qui reste des plantations de cette région du Soudan affectée par la sécheresse.

Jeunes réfugiés éthiopiens. Nombre d'entre eux ont perdu leurs parents à cause de la guerre et de la famine.

La sécheresse en elle-même n'aurait pas été si désastreuse sans la guerre civile qui faisait rage au Soudan et en Éthiopie. Le gouvernement ne pouvait pas ou ne voulait pas aider leur peuple affamé. Les combats provoquèrent l'exode de nombreuses personnes, et d'autres qui se battaient déjà pour arriver à se nourrir durent faire face à l'arrivée de nombreux réfugiés.

Des vivres en provenance du Canada aideront les affamés en Éthiopie.

L'aide étrangère arriva lentement dans la région, et des camps de réfugiés furent installés à l'est du Soudan, où on ne se battait pas. Les réfugiés arrivaient si rapidement que leur nombre passa de 5 000 à 35 000 dans un camp en quelques jours. Un grand nombre d'entre eux moururent avant de pouvoir atteindre les camps.

Les organisations humanitaires essayèrent de fournir une aide alimentaire et médicale. Il y avait peu d'eau, et les maladies se répandirent rapidement. Certaines personnes restaient assises à attendre la mort dans l'indifférence.

Il est difficile d'aider et de nourrir les réfugiés du Soudan et de l'Éthiopie. Dans ces régions, les routes sont très mauvaises et il est problématique de trouver du carburant et des moyens de transport. Les convois sont souvent attaqués lorsqu'ils traversent une zone de combat et les camions sont volés pour faire la guerre.

À l'heure actuelle, il y a encore des camps dans l'est du Soudan et de l'Éthiopie qui abritent environ un demi-million de réfugiés. La guerre civile au Soudan et les combats en Éthiopie empêchent les gens de rentrer chez eux. Bien que la pluie soit revenue pendant un an ou deux à la fin des années 80, la sécheresse frappe à nouveau, cette fois dans toute l'Afrique. Dans les années 90, les désastres pourraient atteindre une ampleur bien supérieure à ceux de 1983 et 1984.

Les problèmes de la sécheresse et de la guerre sont aggravés par des années de politique agricole inadéquate et par le manque d'entretien du sol. Les agriculteurs ont tendance à surexploiter les sols pauvres qui ont besoin de repos entre deux récoltes pour reconstituer leurs réserves de nutriments. Les engrais sont trop coûteux pour la plupart des fermiers. Les éleveurs de bétail ont surexploité leurs pâturages. Ils ont souvent été empêchés de déplacer leur bétail vers de nouveaux pâturages à cause de la guerre ou pour d'autres raisons, telles que des projets agricoles ou d'irrigation. Les arbres qui maintiennent l'humidité dans le sol ont été abattus, laissant la terre encore plus dénudée.

Camp regroupant des milliers de réfugiés ayant fui la guerre civile au Soudan

Affiche d'une organisation humanitaire attirant l'attention sur les souffrances des peuples affamés

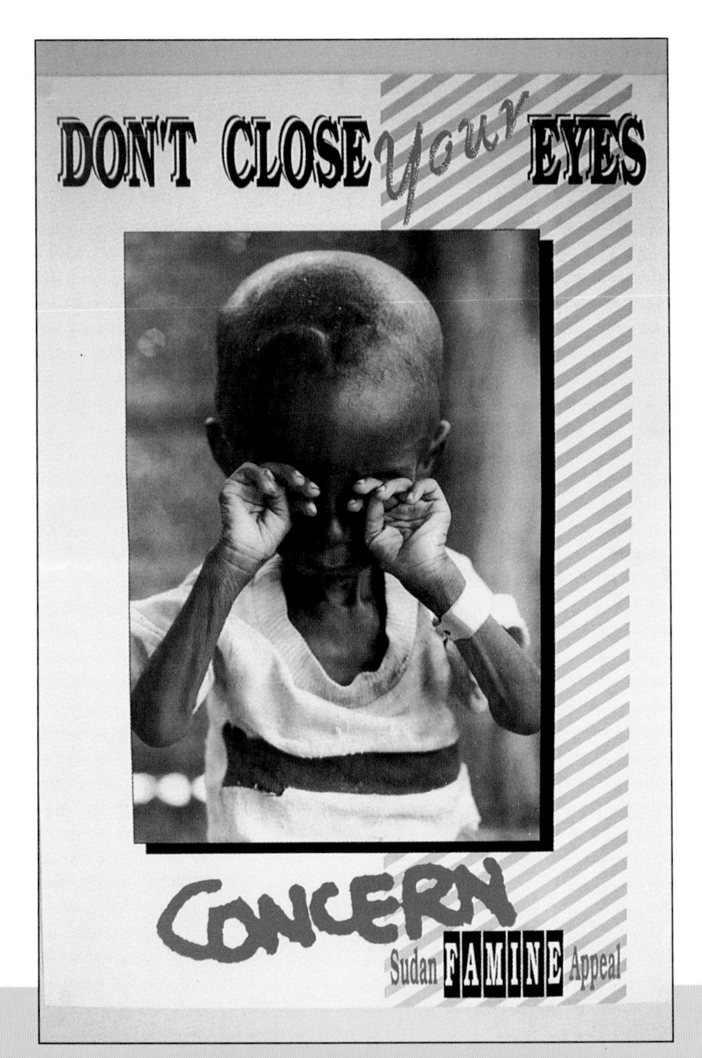

Les gouvernements du Soudan et de l'Éthiopie ont essayé de faire pousser des cultures destinées à l'exportation. Ces cultures utilisent les meilleures terres et les petits fermiers ne disposent plus que des terres les plus pauvres pour y faire pousser la nourriture. Au Soudan, la production du sorgho et du maïs a diminué de plus de 50%, bien qu'il s'agisse des aliments de base de la population.

L'aide étrangère est fournie sous deux formes. D'une part l'aide d'urgence (envoi d'aide alimentaire et médicale) en cas de crise, et d'autre part l'aide à long terme. Beaucoup d'organisations humanitaires essaient de fournir de l'aide en envoyant des experts qui prodiguent des conseils concernant la plantation des arbres, l'irrigation et les meilleures cultures.

9. Apprivoiser le Nil

De manière limitée, mais efficace, les riverains du Nil sont parvenus à contrôler le débit du fleuve. Malgré tout, de grandes inondations ont parfois provoqué de terribles destructions le long du cours inférieur du Nil alors qu'à d'autres moments, il y avait trop peu d'eau. Il était aléatoire de se fier à l'inondation annuelle pour l'irrigation et cela ne permettait qu'une récolte par an.

Au 19e siècle, on a cru trouver une solution à ce problème. En construisant des barrages le long du fleuve, on pouvait retenir les eaux lors des inondations, et les libérer quand cela était nécessaire. Cela stabiliserait le débit tout au long de l'année, gommant les changements saisonniers. C'est ainsi que le barrage d'Assouan a été construit en 1902.

Contrôler l'eau

Le barrage contrôlait l'inondation en partie, mais on se rendit compte qu'il était trop petit. La population égyptienne augmentait rapidement et il fallait plus de terres irriguées et à l'abri de l'inondation pour produire de la nourriture. On mit donc sur pied le projet de ce qui était à l'époque l'un des plus grands barrages du monde.
Il fut commencé en 1960, 6 km en amont de l'ancien barrage. Un grand canal fut creusé dans le roc le long du Nil et les matériaux retirés de l'excavation furent utilisés pour réaliser l'assise du nouveau barrage. Quand le barrage fut fini, le Nil était obligé de s'écouler par sa conduite forcée.

On disait du barrage d'Assouan qu'il était la «pyramide» moderne de l'Égypte,

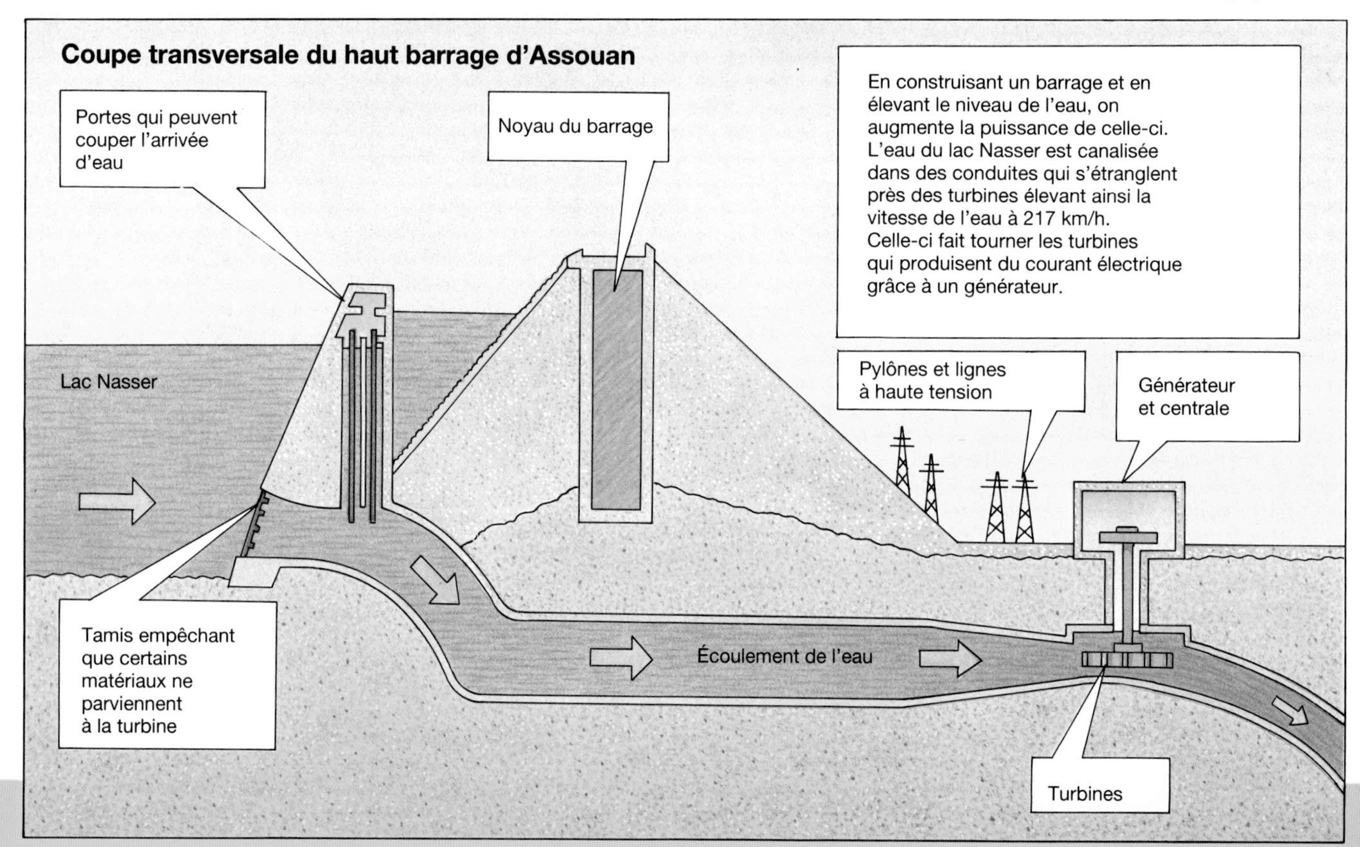

Sahid, travailleur au barrage d'Assouan

«Derrière moi se trouve le haut barrage d'Assouan. L'eau du lac Nasser s'écoule avec beaucoup de force à travers six grands tunnels sur une hauteur de 30 m. La puissance de l'eau est utilisée pour faire fonctionner des turbines qui produisent de l'électricité. Assouan est devenue une grande ville. Il y a des usines de produits chimiques et d'engrais en Égypte, parce que le Nil ne sort plus de son lit et que la vallée ne reçoit plus d'engrais naturels.»

à part qu'il était sept fois plus grand que la plus grande des pyramides. En 1971, le barrage long de 3 500 m était terminé. Peu à peu, un énorme lac, le lac Nasser (du nom d'un ancien président égyptien), s'est formé derrière le barrage, couvrant une vaste région de 6 000 km^2.

Pour les fermiers de la vallée du Nil inférieur, le barrage signifie une alimentation régulière en eau.

Un gigantesque barrage surplombe le Nil au nord du Caire. L'eau est maîtrisée de sorte qu'elle alimente des canaux d'irrigation dans le delta du Nil.

Résultat : il y a des récoltes toute l'année, et le nombre de terres pour les cultures a augmenté de 30 %. L'Égypte a donc fortement augmenté sa production alimentaire. Durant les terribles sécheresses des années 80, l'Égypte a pu également échapper aux souffrances qui ont frappé le Soudan et l'Éthiopie.

Le haut barrage d'Assouan n'a pas uniquement contrôlé les crues annuelles en Égypte, mais il a aussi fourni de l'électricité à tout le pays. L'hydroélectricité a l'avantage d'être une source d'énergie renouvelable et non polluante.

Toutefois, malgré ces avantages, les coûts sont élevés. Lorsque le barrage a été construit et que le lac Nasser commença à se former, des milliers de Nubiens durent quitter leur maison. On les plaça dans de nouvelles villes et de nouveaux villages. Leur mode de vie en fut totalement changé ; certains ont pu faire face alors que d'autres étaient très mécontents de perdre leur habitat traditionnel.

Les eaux montantes du lac Nasser ont également recouvert les temples de l'Égypte ancienne et des bâtiments construits le long des rives du Nil en amont d'Assouan. Quelques-uns de ces temples ont été déplacés, pierre par pierre, vers de nouveaux sites, et l'opération fut très coûteuse.

Le temple d'Abu Simbel

Ce grand temple fut construit en l'honneur du pharaon Ramsès II, il y a près de 3 000 ans. Il a quasiment disparu sous les eaux du lac Nasser qui se formait derrière le barrage d'Assouan. Une grande opération de sauvetage fut lancée par l'Unesco en 1964. Tout d'abord, le temple fut entièrement découpé en énormes blocs de pierre. Ensuite, une montagne fut spécialement élevée au-dessus du niveau du lac. Enfin, le temple fut reconstruit sur le nouveau site et toutes les statues furent déplacées.

Problèmes pour l'avenir

Le barrage a provoqué quelques dégâts. Ainsi, en aval du barrage, les inondations annuelles n'apportent plus le limon riche et fertile aux terres. Ce limon est maintenu derrière le barrage. À la place, les fermiers doivent dépenser des sommes folles pour acheter des engrais et nourrir leurs cultures. Les nutriments contenus dans le limon nourrissaient aussi les poissons ; aujourd'hui, leur nombre a chuté, tant dans le Nil que dans les eaux côtières.

Étant donné que de telles quantités d'eau sont utilisées pour l'irrigation, la nappe phréatique s'est élevée. De ce fait, le sel, généralement contenu dans les couches inférieures du sol, a remonté à la surface. Ce sel rend les terres impropres à la culture. Les sels du sol étaient jadis éliminés par les crues. Aujourd'hui, à peu près un tiers des terres irriguées de l'Égypte sont envahies par les eaux. Lorsque l'eau s'évapore, il reste encore davantage de sel sur le sol.

Ces problèmes surgissent partout où les eaux du Nil sont utilisées pour l'irrigation. Un bon drainage du sol est nécessaire pour empêcher que cela se produise, mais il est très coûteux de drainer tous les champs.

Ce fermier met de l'engrais sur ses champs. Le barrage d'Assouan empêche les inondations qui, autrefois, apportaient chaque année des nutriments au sol.

Le niveau de la nappe phréatique augmente et apporte des sels à la surface. Ce champ est désormais impropre aux cultures.

La construction d'un grand nombre de canaux d'irrigation a également provoqué la recrudescence des maladies. Les parasites de la malaria et de la bilharziose se développent bien dans les eaux calmes. De plus, dans le réservoir du barrage, derrière les barrages et dans les canaux, les eaux calmes ont aussi encouragé la croissance de la jacinthe d'eau. Cette plante prolifère au point de recouvrir tout un canal en quelques semaines, et elle entrave rapidement les voies d'eau. Les herbicides utilisés pour en venir à bout polluent l'eau. À côté de cela, enlever cette plante avec des machines prend énormément de temps.

Bien que le réservoir signifie un approvisionnement régulier en eau, des quantités massives d'eau sont perdues. Des milliards de mètres cubes s'évaporent chaque jour du lac Nasser. La vie du barrage lui-même est remise en question car tout le limon qui autrefois nourrissait l'Égypte entière est désormais déposé par le Nil dans le lac Nasser. Il arrivera un jour où le lac sera complètement empli de limon et où le barrage d'Assouan sera inutile. D'autres barrages sur le Nil et ses affluents connaissent les mêmes problèmes. Par ailleurs, si le barrage devait s'effondrer ou être détruit au cours d'une guerre, c'est toute l'Égypte qui serait balayée de la carte.

Des moyens de contrôle modernes ne résolvent pas tous les problèmes; il conviendrait peut-être davantage de se pencher sur les méthodes traditionnelles de contrôle et d'irrigation pour voir si elles peuvent contribuer à trouver de meilleures solutions à long terme.

Ci-contre *Bateau à vapeur de touristes sur le fleuve bordé de champs verdoyants. Juste derrière la vallée, se trouve le désert hostile et nu.*

Ci-dessous *Des masses flottantes de jacinthe d'eau se forment contre les barrages du Nil, bloquant le fleuve.*

Glossaire

Affluent Cours d'eau qui se jette dans un autre
Archéologue Personne qui étudie les anciens objets et bâtiments
Bantou Membre de peuplades indigènes en Afrique centrale, de l'est et du Sud
Barrages Barrières érigées par l'homme au-dessus des fleuves et rivières pour contrôler la vitesse et le flux du courant; généralement, des portes peuvent être soulevées pour laisser passer l'eau.
Bilharzie Ver parasite du système circulatoire de l'homme, qui provoque de l'hématurie
Bilharziose Maladie provoquée par les bilharzies et transmise par leurs œufs
Canal de Suez Voie navigable perçant l'isthme de Suez, entre la mer Méditerranée et la mer Rouge. Terminé en 1869, ce canal a permis de raccourcir le trajet des bateaux voyageant d'Inde vers l'Europe. Il mesure 161 km de long.
Cataractes Chutes d'eau importantes sur un fleuve
Coloniser Transformer en colonie; peuples de colons, c'est-à-dire de personnes d'un autre pays
Convois Suite de véhicules transportant des personnes ou des biens vers une même destination
Delta Zone d'accumulation alluviale triangulaire créée par un cours d'eau à son arrivée dans une mer à faible marée ou dans un lac
Dépression Partie en creux par rapport à une surface
Digue Ouvrage destiné à contenir des eaux, à élever leur niveau ou à guider leur cours
Embaumer Traiter un cadavre en le vidant de ses viscères et en injectant des substances qui le préservent de la corruption
Énergie renouvelable Énergie dont la consommation n'aboutit pas à la diminution des ressources naturelles, parce qu'elle fait appel à des éléments qui se recréent naturellement (la biomasse, l'énergie solaire)
Érosion Usure naturelle par l'action de l'eau ou du vent
Évaporation Perte d'eau dans l'atmosphère sous l'action de la chaleur
Excavation Action de creuser dans le sol
Extinction Disparition totale d'une espèce, par exemple
Famine Grave pénurie de nourriture pouvant mener à une malnutrition des victimes voire à leur mort
Fertilité (En parlant du sol) qualité de ce qui peut donner d'abondantes récoltes
Herbicides Produits chimiques utilisés pour tuer les mauvaises herbes
Hydroélectricité Électricité produite par la puissance d'une chute d'eau
Islam Religion des musulmans qui suivent les enseignements du prophète Mahomet
Jésuite Missionnaire chrétien (de l'Église catholique romaine)
Limon Roche sédimentaire constituant les sols légers et fertiles
Malaria Maladie provoquée par la piqûre de certaines sortes de moustiques
Migration Déplacement de population d'un pays dans un autre pour s'y établir, sous l'influence de facteurs économiques ou politiques
Momie Cadavre conservé au moyen de matières balsamiques, de l'embaumement
Moyen-Orient Ensemble de pays formé par l'Égypte et par les États d'Arabie occidentale
Nil supérieur Désigne la région située en amont du barrage d'Assouan et du lac Nasser
Nomades Personnes qui ne s'établissent jamais, et qui se déplacent sans cesse
Nutriments Minéraux dont les plantes et les animaux ont besoin pour grandir
Oasis Petite région fertile dans un désert, grâce à la présence d'eau
Papyrus Plante des bords du Nil, de la famille des cypéracées. Les anciens Égyptiens utilisaient la tige pour fabriquer des feuilles pour l'écriture.
Plaine d'inondation Zone de terres plates près des fleuves qui sont régulièrement inondées et où des nutriments sont déposés
Rapide Section d'un cours d'eau où l'écoulement est accéléré en raison d'une augmentation brutale de la pente du lit
Raffineries Usines où l'on raffine (c'est-à-dire où l'on purifie) certaines substances (sucre, pétrole, etc.)
Réservoirs Lacs artificiels où l'on stocke de l'eau
Sécheresse Longue période avec peu ou pas d'eau
Sédiments Dépôts meubles laissés par les eaux, le vent et les autres agents d'érosion et qui, d'après leur origine, peuvent être marins, fluviatiles, lacustres, glaciaires, etc.
Unesco Sigle de l'Organisation des Nations unies pour l'éducation, la science et la culture

Lectures complémentaires... et pour plus d'informations

Ouvrages

L'Égypte aujourd'hui, par Jean Hureau,
Les Éditions du Jaquar, 1992 (8° édition)

Égypte, un pays à aimer,
à comprendre, à connaître, collection
Monde et Voyages, Librairie Larousse, 1987

Origine des illustrations:

Toutes les photos y compris celle de couverture sont de Julia Waterlow, sauf les suivantes: page 39 (en bas): Concern; page 17: © Michael Holford; pages 8 (en haut), 10, 37 (Sarah Errington): Hutchison Library; pages 23 (en haut), 24: Mansell Collection; pages 38 (les deux), 39 (en haut): Topham Picture Library; pages 16 (en bas) (D. Davis), 30, 34 (en bas), 8 (R. Cansdale), 6 (J. Schmid): Tropix. La carte en page 5 est de Peter Bull Design. Les éléments graphiques des pages 9, 28 et 40 sont de John Yates.

INDEX

Les chiffres en **gras** renvoient à une illustration.